在纪念毛泽东同志诞辰130周年座谈会上的讲话

（2023年12月26日）

习　近　平

人　民　出　版　社

在纪念毛泽东同志诞辰 130 周年座谈会上的讲话

（2023 年 12 月 26 日）

习　近　平

同志们，朋友们：

今天，我们怀着十分崇敬的心情，在这里隆重集会，纪念中国共产党、中国人民解放军、中华人民共和国的主要缔造者，中国各族人民的伟大领袖毛泽东同志诞辰 130 周年。

毛泽东同志是伟大的马克思主义者，伟大的无产阶级革命家、战略家、理论家，是马克思主义中国化的伟大开拓者、中国社会主义现代化建设事业的伟大奠基者，是近代以来中国伟大的爱国者和民族英雄，是党的第一代中央领导集体的核心，是领导中国人民彻底改变自己命运和国家面貌的一代伟人，是为世界被压迫民族的解放和人类进步事业作出重大贡献的伟大国际主义者。

毛泽东同志出生的那个年代，由于西方列强入侵和封建统治腐败，具有5000多年文明历史的中国已逐步成为半殖民地半封建社会，国家蒙辱、人民蒙难、文明蒙尘，中华民族遭受了前所未有的劫难，救亡图存、振兴中华成为全体中国人民的共同梦想。为了拯救民族危亡，中国人民奋起反抗，仁人志士奔走呐喊，太平天国运动、戊戌变法、义和团运动、辛亥革命接连而起，各种救国方案轮番出台，但都以失败告终。中国共产党登上历史舞台后，团结带领全国各族人民，进行了艰苦卓绝的抵御外敌入侵、反抗民族压迫和阶级压迫的伟大斗争。在这关系国家存亡、民族解放的波澜壮阔伟大斗争中，涌现了一批批人民英雄、民族脊梁，毛泽东同志就是他们中的杰出代表、一代伟人。

青年时代，毛泽东同志就以“自信人生二百年，会当水击三千里”的壮志豪情，立下拯救民族于危难的远大志向，投身救国救民的伟大事业。为了找到中国的出路，毛泽东同志“向大本大源处探讨”，在反复比较和鉴别中，毅然选择了马克思列宁主义，选择了为实现共产主义而奋斗的崇高理想，从此一生追寻，矢志不移。

毛泽东同志的一生是为国家富强、民族振兴、人民幸福而不懈奋斗的一生。新民主主义革命时期，以毛泽东同志为主要代表的中国共产党人团结带领人民，浴血奋战、百折不挠，打败日本帝国主义，推翻国民党反动统治，完成新民主主义革命，建立了中华人民共和国，实现了近代以来中国人梦寐以求的民族独立、人民当家作主。新中国成立后，团结带领人民自力更生、发愤图强，进行社会主义革命，消灭延续几千年的封建剥削压迫制度，确立社会主义基本制度，推进社会主义建设，实现了中华民族有史以来最为广泛而深刻的社会变革，取得了社会主义建设的伟大成就，使中国成为在世界上有重要影响的大国，积累起在中国这样一个社会生产力水平十分落后的国家进行社会主义建设的重要经验。

在几十年艰难而辉煌的战斗生涯中，毛泽东同志为中华民族、中国人民建立了不可磨灭的历史功勋，作出了光耀千秋的历史贡献。

毛泽东同志带领人民开创了马克思主义中国化的历史进程。没有革命的理论，就没有革命的实践。马克思主义基本原理具有普遍适用性，只有同各国实际相结合才能显示出强大的真理力量。毛泽东同志说，“马克思列宁主义的伟大力量，就在于它是和各个国家具体的革命实践相联系的。对于中国共产党来说，就是要学会把马克思列宁主义的理论应用于中国的具体的环境。”毛泽东同志高度重视、始终坚持用马克思主义基本原理解决中国的实际问题，在同各种错误倾向作斗争并深刻总结中国革命经验的过程中创立了毛泽东思想，在探索适合中国国情的社会主义建设道路的实践中丰富和发展了毛泽东思想。毛泽东思想是马克思列宁主义在中国的创造性运用和发展，是被实践证明了的关于中国革命和建设的正确的理论原则和经验总结，实现了马克思主义中国化的第一次历史性飞跃。毛泽东同志把辩证唯物主义和历史唯物主义运用于无产阶级政党的全部工作，在中国革命和建设的长期艰苦斗争中形成了具有中国共产党人鲜明特色的立场、观点、方法，体现为实事求是、群众路线、独立自主三个基本方面。这是毛泽东思想活的灵魂。毛泽东思想是我们党的宝贵精神财富，将长期指导我们的行动。毛泽东同志用马克思主义之“矢”射中国具体实际之“的”的伟大实践，为我们正确对待马克思主义、不断推进马克思主义中国化时代化提供了光辉典范。

毛泽东同志带领人民锻造了伟大光荣正确的中国共产党。中国革命、建设事业必须由一个先进政党来领导。毛泽东同志指出：“没有中国共产党的努力，没有中国共产党人做中国人民的中流砥柱，中国的独立和解放是不可能的，中国的工业化和农业近代化也是不可能的。”毛泽东同志是最早一批建立地方党组织的领导人之一，参加了党的一大会议，在井冈山斗争时期领导了红军和根据地党的建设。他明确提出要把党的建设作为一项“伟大的工程”来推进，并且成功领导实施了这一伟大工程。毛泽东同志是我们党党的建设理论的奠基人。他在马克思主义政党史上第一次科学地阐明了党的建设同党的政治路线的关系，揭示了党的建设的基本规律，为加强党的建设指明了方向；着重强调要从思想上建党，创造了通过批评和自我批评进行思想教育的整风形式；创造性地运用民主集中制原则正确处理党内关系、维护党的团结统一；概括形成了党的“三大作风”，成为中国共产党区别于其他任何政党的显著标志；在探索跳出历史周期率的深刻思考中，给出了第一个答案，那就是“让人民来监督政府”，等等。新中国成立后，毛泽东同志积极探索执政党建设规律，强调要始终保持谦虚谨慎、戒骄戒躁、艰苦奋斗的作风，高度警惕并着力防范党员干部腐化变质，坚决惩治腐败，等等，积累了执政条件下党的建设的初步经验。毛泽东同志亲手缔造的中国共产党，在一次次革命性锻造中不断走向成熟，始终走在时代前列，成为全国人民的主心骨，成为中国革命、建设、改革事业的坚强领导核心。

毛泽东同志带领人民建立了人民当家作主

的新中国。为人民谋幸福、为民族谋复兴是我们党的初心使命。我们党自成立之日起就致力于建设人民当家作主的新社会。毛泽东同志强调,“我们是人民民主专政,各级政府都要加上‘人民’二字,各种政权机关都要加上‘人民’二字。”新中国的成立,实现了中国向人民民主制度的伟大跨越,掌握了自己命运的中国人民,通过各种途径参与管理国家事务,管理经济、文化和社会事务。毛泽东同志指出:“中国的命运一经操在人民自己的手里,中国就将如太阳升起在东方那样,以自己的辉煌的光焰普照大地,迅速地荡涤反动政府留下来的污泥浊水,治好战争的创伤,建设起一个崭新的强盛的名副其实的人民共和国。”在党的领导下,新生的人民政权实现和巩固全国各族人民的大团结,实现和巩固全国工人、农民、知识分子和其他各阶层人民的大团结。大力推动经济建设,奋力改变一穷二白的落后面貌,有力保障了人民的基本生活需要；不断发展社会主义文化，提高人民群众的思想道德和科学文化素质；建立和发展了包括“两弹一星”在内的强大国防力量，彻底结束了旧中国屡遭外敌入侵的历史，我国国防力量走在世界前列；坚持独立自主的和平外交政策，坚定维护国家独立主权尊严，彻底结束了旧中国的屈辱外交，中国作为一个独立的、具有完整主权的国家屹立于世界东方。古老的中国在人民的手中换了人间，中国人民扬眉吐气，新中国的国际地位日益提高。

毛泽东同志带领人民创建了先进的社会主义制度。只有社会主义才能救中国、才能发展中国。毛泽东同志指出：“社会主义制度的建立给我们开辟了一条到达理想境界的道路。”在中央苏区和延安时期，毛泽东同志为建立人民民主主义的制度，进行了大量的理论和实践探索。新中国成立后，毛泽东同志领导制定《中国人民政治协商会议共同纲领》、《中华人民共和国宪法》，确定了我国的国体、政体、国家结构形式，建立了新中国国家政权组织体系，建立起人民代表大会制度、中国共产党领导的多党合作和政治协商制度、民族区域自治制度。1956 年，我国基本完成对生产资料私有制的社会主义改造，基本上实现生产资料公有制和按劳分配，建立起社会主义经济制度。在开展大规模社会主义建设中，还探索建立了社会主义科技、教育、文化、医疗卫生等方面的具体制度。毛泽东同志领导建立的植根中华大地、符合中国国情、体现人民愿望的社会主义制度具有无比优越性，不仅在推进社会主义革命和建设中发挥了重要作用，并且为当代中国的一切发展进步奠定了根本政治前提和制度基础。

毛泽东同志带领人民缔造了战无不胜的新型人民军队。没有一个人民的军队，便没有人民的一切。毛泽东同志最早提出并领导武装斗争、创建人民军队工作。在艰苦卓绝的革命战争中，他系统解决了以农民为主要成分的革命军队如何建设成为一支无产阶级性质的、具有严格纪律的、同人民群众保持亲密联系的新型人民军队的问题。他规定了人民军队全心全意为人民服务的唯一宗旨，规定了党指挥枪的原则，确立了政治建军原则，制定了三大纪律八项注意，实行政治、经济、军事三大民主，执行官兵一致、军民一致和瓦解敌军的原则，形成了一套人民军队政治工作的方针和方法，系统提出了建设人民军队的思想，制定了一系列人民战争的战略战术，为人民军队打败国内外异常凶恶的敌人、夺取中国革命的胜利提供了根本指引。新中国成立后，毛泽东同志深入探索人民军队建设新的特点规律，提出必须加强国防，建设现代化革命武装力量和发展现代化国防技术的重要指导思想，为巩固新生人民政权、确立中国大国地位、维护中华民族尊严提供了坚强后盾。毛泽东同志亲手缔造的人民军队，成为忠诚于党、忠实执行革命政治任务的武装力量，成为完全彻底为中国人民奋斗的子弟兵，是保证国家独立、人民幸福、国防巩固的坚强柱石。

毛泽东同志把自己的一生献给党和人民，留下了永志后人的崇高精神风范。毛泽东同志展现出一个伟大革命领袖高瞻远瞩的政治远见、坚定不移的革命信念、勇于开拓的非凡魄力、炉火纯青的斗争艺术、杰出高超的领导才能、心系人民的赤子情怀、坦荡宽广的胸怀境界、艰苦奋斗的优良作风，赢得了全党全国各族人民的爱戴和敬仰，毛泽东同志的崇高精神风范永远是激励我们继续前进的强大动力。

同志们、朋友们！

社会主义是人类历史上全新的事业，由于中国是在极为落后的基础上进行社会主义革命和建设的，没有现成的经验可以借鉴，在前进道路上出现这样那样的曲折和失误是难以完全避免的。正如毛泽东同志所指出，“对于建设社会主义的规律的认识，必须有一个过程。必须从实践出发，从没有经验到有经验，从有较少的经验，到有较多的经验，从建设社会主义这个未被认识的必然王国，到逐步地克服盲目性、认识客观规律、从而获得自由，在认识上出现一个飞跃，到达自由王国。”不能否认，毛泽东同志在社会主义建设道路的探索中走过弯路，特别是发动和领导“文化大革命”这个严重错误。对毛泽东同志的历史功过，我们党已经作出了全面评价，他的功绩是第一位的，错误是第二位的，他的错误是一个伟大的革命家、伟大的马克思主义者所犯的错误。

改革开放以后，我们党解决了正确评价毛泽东同志和毛泽东思想的历史地位、根据新的实际和历史经验确立中国实现社会主义现代化的正确道路这两个相互联系的重大历史课题，作出了把党和国家的工作重点转移到以经济建设为中心的社会主义现代化建设上来、坚持四项基本原则、实行改革开放的历史性决策，开启了建设中国特色社会主义的新长征。为加快推进社会主义现代化，我们党坚持党的基本路线不动摇，大力推进实践基础上的理论创新、制度创新、文化创新以及其他各方面创新，实行社会主义市场经济体制，实现了从生产力相对落后的状况到经济总量跃居世界第二的历史性突破，实现了人民生活从温饱不足到总体小康、奔向全面小康的历史性跨越，为我国社会主义现代化建设和中华民族伟大复兴提供了充满新的活力的体制保证和快速发展的物质条件。

党的十八大以来，我们党在新中国成立特别是改革开放以来长期探索和实践基础上，全面贯彻新时代中国特色社会主义思想，采取一系列战略性举措，推进一系列变革性实践，实现一系列突破性进展，取得一系列标志性成果，战胜一系列重大风险挑战，成功推进和拓展了中国式现代化，推动党和国家事业取得历史性成就、发生历史性变革，为强国建设、民族复兴伟业提供了更为完善的制度保证、更为坚实的物质基础、更为主动的精神力量。

同志们、朋友们！

对毛泽东同志的最好纪念，就是把他开创的事业继续推向前进。以中国式现代化全面推进强国建设、民族复兴伟业，是全党全国各族人民在新时代新征程的中心任务。这是毛泽东等老一辈革命家的未竟事业，是当代中国共产党人的庄严历史责任。新征程上，我们要不忘初心、牢记使命，坚定历史自信、把握历史主动，把中国式现代化宏伟事业不断推向前进。

要充分激发全体人民的历史主动精神。人民，只有人民，才是创造世界历史的动力。中国式现代化是全体中国人民的事业，必须紧紧依靠人民，汇聚蕴藏在人民中的无穷智慧和力量，才能不断创造新的历史伟业。我们要坚持人民是创造历史根本动力的历史唯物主义基本观点，坚持人民主体地位，充分尊重人民所表达的意愿、所创造的经验、所拥有的权利、所发挥的作用，把维护好、实现好、发展好最广大人民根本利益作为一切工作的出发点和落脚点，让现代化建设成果更多更公平惠及全体人民。要健全人民当家作主的制度体系，发展全过程人民民主，保证人民始终是国家的主人、社会的主人、自己命运的主人，享有更广泛、更真实、更便捷的民主权利和自由。要完善维护社会公平正义的制度机制，保障人民平等参与、平等发展权利，让每一位辛勤劳动、艰苦奋斗、创新创造者都有梦想成真、人生出彩的机会。要着力保障和改善民生，办好各项民生事业，聚焦人民群众所思所盼所忧所急，解决好同老百姓生活息息相关的就业、教育、医疗卫生、养老托幼、社会保障等民生问题，使人民获得感、幸福感、安全感更加充实、更有保障、更可持续，推动全体人民共同富裕取得更为明显的实质性进展。要把握新形势下群众工作的特点和规律，走好新时代群众路线，在深入实际、深入群众的躬身实践中，增进群众感情、把准群众脉搏、精准服务群众，满足人民多层次多样化需求，把工作做到人民群众心坎上，始终保持同人民群众的血肉联系，始终接受人民批评和监督，始终同人民同呼吸、共命运、心连心，使中国式现代化拥有最可靠、最深厚、最持久的力量源泉！

要不断开辟马克思主义中国化时代化新境界。马克思主义是我们立党立国、兴党兴国的根本指导思想。毫不动摇坚持、与时俱进发展马克思主义，大力推进实践基础上的理论创新，自觉用中国化时代化的马克思主义指导新的实践，是我们党把握历史主动、紧跟时代步伐、不断开创事业发展新局面的成功之道。实践永无止境，理论创新永无止境，认识真理永远不会完结。中国式现代化为党的理论创新开辟了广阔前景，提出了新的更加艰巨繁重的任务。我们要坚持把马克思主义基本原理同中国具体实际相结合、同中华优秀传统文化相结合，深入探索中国式现代化建设规律，不断回答实践遇到的崭新课题，以理论创新引领实践创新。谱写马克思主义中国化时代化新篇章，需要全党共同努力。广大党员干部特别是各级领导干部要以科学的态度对待科学、以真理的精神追求真理，增强坚持真理的勇气、探索真理的劲头，开动脑筋、勤于思考，积极提出真知灼见，为党的理论创新贡献智慧和力量。人民的创造性实践是理论创新的不竭源泉，要真心拜人民为师，及时总结人民群众创造的新鲜经验，使党的理论真正成为人民所喜爱、所认同、所拥有的理论。要树立世界眼光，深刻洞察人类发展进步潮流，积极回应各国人民普遍关切，为解决人类面临的共同问题贡献中国智慧。要以海纳百川的开放胸襟学习和借鉴人类社会一切优秀文明成果，不断丰富党的理论创新的思想文化资源。

要进一步深化改革开放。改革开放是当代中国大踏步赶上时代的重要法宝，是决定中国式现代化成败的关键一招。推进中国式现代化，必须进一步全面深化改革开放，不断解放和发展社会生产力、解放和增强社会活力。我们要顺应时代发展新趋势、实践发展新要求、人民群众新期待，以改革到底的坚强决心，动真格、敢碰硬，精准发力、协同发力、持续发力，坚决破除一切制约中国式现代化顺利推进的体制机制障碍。要深化经济体制改革，充分发挥市场在资源配置中的决定性作用，更好发挥政府作用，加快构建新发展格局，构建全国统一大市场，健全宏观经济治理体系，激发各类经营主体活力，加快形成有利于高质量发展的体制机制。要深化科技体制改革，发挥新型举国体制优势，强化国家战略科技力量，强化企业科技创新主体地位，优化配置创新资源，努力突破关键核心技术，推动实现高水平科技自立自强。要协同推进文化体制、社会体制、生态文明体制等各领域改革，全方位为中国式现代化源源不断注入新的动力。现代化离不开开放，开放成就现代化。我们要不断扩大高水平对外开放，坚定奉行互利共赢的开放战略，依托我国超大规模市场优势，以国内大循环吸引全球资源要素，增强国内国际两个市场、两种资源联动效应，稳步推进规则、规制、管理、标准等制度型开放，提升贸易投资合作质量和水平，不断拓展中国式现代化的发展空间。

要深入推进全面从严治党。领导我们事业的核心力量是中国共产党。中国式现代化是中国共产党领导的社会主义现代化，只有时刻保持解决大党独有难题的清醒和坚定，把党建设得更加坚强有力，才能确保中国式现代化劈波斩浪、行稳致远。要落实新时代党的建设总要求，以党的政治建设统领党的建设各项工作，健全全面从严治党体系，全面推进党的自我净化、自我完善、自我革新、自我提高，使我们党坚守初心使命，走在时代前列，始终保持蓬勃生机和旺盛活力。要顺应中国式现代化事业发展新要求，着力造就忠诚干净担当的高素质专业化干部队伍。教育引导广大党员、干部以强烈的政治责任感和时不我待的紧迫感，及时更新思想观念，补齐素质短板，提高履职能力，勇立时代潮头，争当事业尖兵，坚决摒弃一切固守旧思维、旧理念、老套路、老办法的懒汉思想，坚决反对一切不担当不作为、推脱躲绕、不思进取的躺平行为。各级党组织要以鲜明态度，为担当者担当，为负责者负责，为干事者撑腰，积极营造有利于干事创业的良好环境。要坚持以严的基调正风肃纪，从领导机关和领导干部做起，重实干、做实功、求实效，着力克服形式主义、官僚主义，让广大党员干部尤其是基层干部把更多精力集中到推动发展、服务群众上。腐败是危害党的生命力和战斗力的最大毒瘤，反腐败斗争一刻也不能停歇。要坚持一体推进不敢腐、不能腐、不想腐，深化标本兼治、系统施治，持续保持惩治腐败高压态势，坚决查处政治问题和经济问题交织的腐败，坚决防止领导干部成为利益集团和权势团体的代言人、代理人，深化整治权力集中、资金密集、资源富集领域的腐败，坚决打赢反腐败斗争攻坚战持久战，确保我们党永远不变质、不变色、不变味。

要坚持和完善"一国两制"，推进祖国统一。中国式现代化需要全体中华儿女和衷共济、共襄盛举。我们要全面准确、坚定不移贯彻"一国两制"、"港人治港"、"澳人治澳"、高度自治的方针，坚持依法治港治澳，坚持和完善"一国两制"制度体系，落实中央全面管治权，落实"爱国者治港"、"爱国者治澳"原则，坚持中央全面管治权和保障特别行政区高度自治权相统一。支持香港、澳门发展经济、改善民生、破解经济社会发展中的深层次矛盾和问题，更好融入国家发展大局。实现祖国完全统一是大势所趋、大义所在、民心所向，祖国必须统一，也必然统一。我们要坚持贯彻新时代党解决台湾问题的总体方略，坚持一个中国原则和“九二共识”，深化两岸各领域融合发展，推动两岸关系和平发展。中国人民有坚定的意志、充分的信心、足够的能力，坚决防止任何人以任何方式把台湾从中国分裂出去。

要推动构建人类命运共同体。胸怀天下是我们党百年奋斗的一条重要历史经验。中国式现代化是走和平发展道路的现代化，既造福中国人民，又促进世界各国现代化。我们将坚定站在历史正确的一边、站在人类文明进步的一边，高举和平、发展、合作、共赢旗帜，弘扬全人类共同价值，推动落实全球发展倡议、全球安全倡议、全球文明倡议，推动构建持久和平、普遍安全、共同繁荣、开放包容、清洁美丽的世界。我们将坚定维护国际关系基本准则，维护国际公平正义，始终根据事情本身的是非曲直决定自己的立场和政策，尊重各国主权和领土完整，反对一切形式的霸权主义和强权政治。我们将坚持经济全球化正确方向，坚定奉行互利共赢的开放战略，共同培育全球发展新动能，推动建设开放型世界经济，反对保护主义。我们将高质量共建“一带一路”，同各国加强政策沟通、设施联通、贸易畅通、资金融通、民心相通，为国际经济合作打造新平台。我们将积极参与全球治理体系改革和建设，践行共商共建共享的全球治理观，坚持真正的多边主义，促进国际关系民主化，推动全球治理变革朝着更加公正合理的方向发展。中国的发展是世界和平力量的增长，无论发展到什么程度，中国永远不称霸、永远不搞扩张。

同志们、朋友们！

一百多年前，毛泽东同志说：“我们总要努力！我们总要拼命的向前！我们黄金的世界，光华灿烂的世界，就在前面！”今天，毛泽东等老一辈革命家开创的伟大事业正欣欣向荣，他们追求的伟大理想正在变成现实，中华民族伟大复兴展现出前所未有的光明前景。让我们更加紧密地团结起来，只争朝夕、顽强奋斗，沿着中国特色社会主义道路，为以中国式现代化全面推进强国建设、民族复兴伟业而奋勇前进！

图书在版编目(CIP)数据

在纪念毛泽东同志诞辰130周年座谈会上的讲话/
习近平 著. —北京:人民出版社,2023.12
ISBN 978-7-01-026283-3

Ⅰ.①在… Ⅱ.①习… Ⅲ.①习近平-讲话②毛泽东(1893—1976)-生平事迹 Ⅳ.①D2-0②A752

中国国家版本馆CIP数据核字(2023)第254861号

(RMC-ZJDXI-141-20231226)

在纪念毛泽东同志诞辰130周年座谈会上的讲话
ZAI JINIAN MAOZEDONG TONGZHI DANCHEN 130 ZHOUNIAN
ZUOTANHUI SHANG DE JIANGHUA

(2023年12月26日)

习 近 平

人民出版社 出版发行
(100706 北京市东城区隆福寺街99号)

北京新华印刷有限公司印刷 新华书店经销

2023年12月第1版 2023年12月北京第1次印刷
开本:880毫米×1230毫米 1/32 印张:1
字数:12千字

ISBN 978-7-01-026283-3 定价:3.00元

邮购地址 100706 北京市东城区隆福寺街99号
人民东方图书销售中心 电话 (010)65250042 65289539